Chantefables et Chantefleurs

Chantefables

et Chantefleurs

*à chanter sur
n'importe quel air*

par Robert Desnos
Illustrations de
Ludmila Jiřincová

Gründ

Robert Desnos

Chantefables et Chantefleurs

Illustrations de Ludmila Jiřincová

Arrangement graphique par Jan Solpera

Texte © 1944, 1955 et 1970 Gründ, Paris

© 1970 Aventinum, Prague

ISBN 2-7000-1402-2

Treizième tirage 1994

Imprimé en République slovaque

1/99/14/53-13

Loi n° 49-956 du 16 juillet 1949 sur les publications destinées à la jeunesse

Robert Desnos naquit à Paris en 1900. Il adhéra, vers sa vingtième année, au mouvement littéraire et artistique fondé par André Breton, Paul Eluard, Louis Aragon et Philippe Soupault : le surréalisme. Pratiquant l'écriture et le dessin automatiques, il écrivit des poèmes surréalistes publiés sous le pseudonyme collectif de *Rrose Sélavy* et exécuta de curieux dessins prémonitoires et oniriques. En 1924, Desnos publia son premier grand recueil poétique, *Deuil pour Deuil*, suivi en 1927 par : *la Liberté ou l'Amour*. En 1930, parut son chef-d'œuvre poétique : *Corps et Biens;* c'est cette même année qu'il rompit avec le surréalisme. Passionné, comme Apollinaire et de nombreux surréalistes, par la poésie populaire, l'humour et le roman-feuilleton, Desnos écrivit les années suivantes deux de ses œuvres les plus célèbres : la complainte des *Quatre sans cou*, et l'extraordinaire et envoûtante *Complainte de Fantomas* (poème mis en musique par Kurt Weill, le compositeur de *l'Opéra de quat'sous*). Journaliste, critique, Robert Desnos fut également un remarquable « homme de radio ». En 1942, il regroupa l'ensemble de son œuvre poétique sous le titre : *Fortunes* et publia en 1943, *le Vin est tiré* (son seul roman), puis *Etat de veille*. Comme beaucoup de poètes et d'écrivains français, Desnos avait rejoint les rangs de la Résistance : arrêté en 1944, il mourut en 1945, du typhus, quelques heures après la libération du camp de concentration de Terezín (Tchécoslovaquie).

Les œuvres poétiques de Desnos ont été réunies en un volume, sous le titre : *Domaine public* (1953).

Un autre aspect du talent poétique de Robert Desnos se doit d'être rappelé ici : les délicieux et inimitables poèmes qu'il composa pour les enfants. Pour le fils et la fille de Lise Deharme, il écrivit : *la Ménagerie de Tristan* et *le Parterre d'Hyacinthe*, puis quelques autres pour Daniel Milhaud (le fils du grand compositeur); il illustra lui-même ses poèmes. En 1944, l'année de son arrestation, il porta à l'éditeur Michel Gründ un manuscrit de trente *Chantefables à chanter sur n'importe quel air* : ces textes furent acceptés avec enthousiasme par l'éditeur, mais hélas! le poète ne vit jamais ses textes imprimés. En 1952, le même éditeur publia *les Chantefleurs* précédées des *Chantefables* : soixante poèmes au total, présentés dans une édition illustrée à tirage limité.

Enfin, en 1955, parut l'édition définitive des *Chantefables et Chantefleurs*, augmentée de vingt « chantefleurs » retrouvées. Le succès de ces poésies ne s'est jamais démenti : tous les enfants de France ont appris à l'école, puis pour leur plaisir, ces textes dans lesquels ils « entrent » immédiatement et qui appartiennent désormais à leur univers merveilleux et inviolable. Mais les adultes ont réservé le même accueil enthousiaste et émerveillé à ces poèmes, et plusieurs compositeurs les ont mis en musique.

Cette nouvelle édition, illustrée de fraîches et poétiques compositions de Ludmila Jiřincová, nous prouve, une fois encore, que ces poésies séduisent toujours les artistes sensibles et imaginatifs: plus que des illustrations, ce sont des variations graphiques et poétiques que cette illustratrice nous propose ici.

Pierre-André Touttain

La Rose

Rose rose, rose blanche,
Rose thé,
J'ai cueilli la rose en branche
Au soleil de l'été.
Rose blanche, rose rose,
Rose d'or,
J'ai cueilli la rose éclose
Et son parfum m'endort.

Le Glaïeul

Père Glaïeul, où est ton fils ?
Il est au Cap, il est à Gand,
Il est à Nice et à Tunis,
Et il est à Senlis.
Il est perroquet dans une oasis,
Glaïeul Cardinal, beau glaïeul de Gand.

La Pivoine

Marchande de pivoines
Au faubourg Saint-Antoine,
Chausse tes gros sabots,
Couleur d'orange et de pivoine,
Et viens sur mon bateau,
Pivoine, pivoine,
Pêcher dans l'eau
Joyeux matelots.

L'Alligator

Sur les bords du Mississipi
Un alligator se tapit.
Il vit passer un négrillon
Et lui dit : «Bonjour, mon garçon.»
Mais le nègre lui dit : «Bonsoir,
La nuit tombe, il va faire noir,
Je suis petit et j'aurais tort
De parler à l'alligator.»
Sur les bords du Mississipi
L'alligator a du dépit,
Car il voulait au réveillon
Manger le tendre négrillon.

Le Tamanoir

– *Avez-vous vu le tamanoir ?*
Ciel bleu, ciel gris, ciel blanc, ciel noir.
– *Avez-vous vu le tamanoir ?*
Œil bleu, œil gris, œil blanc, œil noir.
– *Avez-vous vu le tamanoir ?*
Vin bleu, vin gris, vin blanc, vin noir.

Je n'ai pas vu le tamanoir !
Il est rentré dans son manoir,
Et puis avec son éteignoir
Il a coiffé tous les bougeoirs,
Il fait tout noir.

Le Gardénia

Dans un jardin en Angleterre
Il était un gardénia.
Pour en fleurir sa boutonnière,
Un vieux lord se l'appropria.
Depuis, au jardin, il n'y a,
N'y a plus de gardénia.

La Sauterelle

Saute, saute, sauterelle,
Car c'est aujourd'hui jeudi.
Je sauterai, nous dit-elle,
Du lundi au samedi.

Saute, saute, sauterelle,
A travers tout le quartier.
Sautez donc, Mademoiselle,
Puisque c'est votre métier.

La Marguerite

C'est sur la tour Quiquengrogne
Marguerite de Bourgogne,
Marguerite de Navarre,
J'entends sonner la fanfare :
Un peu, beaucoup, vraiment,
Un peu plus, doucement,
Et passionnément.

La Giroflée

Clous de girofle et giroflée,
Giroflée à cinq feuilles,
Sire Nicolas nous accueille,
Coiffé d'un chapeau huit reflets,
Dans son jardin de Viroflay,
Clous de girofle et giroflée.

L'Ours

Le grand ours est dans la cage,
Il s'y régale de miel.

La grande ourse est dans le ciel,
Au pays bleu des orages.

Bisque ! Bisque ! Bisque ! Rage !
Tu n'auras pour tout potage
Qu'un balai dans ton ménage,
Une gifle pour tes gages,
Ta chambre au dernier étage
Et un singe en mariage !

La Violette

A Parme, à Parme on fait du bon jambon,
A Parme, à Parme où pousse la violette.
A Parme nous irons
Manger du bon jambon,
Respirer la violette,
A Parme, ohé ! la violette sent bon.

Le Crapaud

Sur les bords de la Marne,
Un crapaud il y a,
Qui pleure à chaudes larmes
Sous un acacia.

– Dis-moi pourquoi tu pleures
Mon joli crapaud ?
– C'est que j'ai le malheur
De n'être pas beau.

Sur les bords de la Seine
Un crapaud il y a,
Qui chante à perdre haleine
Dans son charabia.

– Dis-moi pourquoi tu chantes
Mon vilain crapaud ?
– Je chante à voix plaisante,
Car je suis très beau,
Des bords de la Marne aux bords de la Seine
Avec les sirènes.

Le Géranium

Dans un pot un géranium,
Un poisson dans l'aquarium.
Géranium et poisson rouge,
Si tu bouges, si tu bouges,
Tu n'auras pas de rhum,
Géranium, géranium,
Géranium et poisson rouge.

La Lavande

Lavandière, lavandière !
As-tu vu le poisson bleu
Qui nageait dans la rivière ?
Il t'apportait la lavande,
La lavande en bouquet bleu,
Poisson bleu, fleurs de lavande,
Poisson bleu.

Le Coucou

Voici venir le mois d'Avril,
Ne te découvre pas d'un fil.
Ecoute chanter le coucou !

Voici venir le mois de Juin
C'est du bon temps pour les Bédouins,
J'écoute chanter le coucou.

Voici venir la Saint-Martin,
Adieu misère, adieu chagrin,
Je n'écoute plus le coucou.

Le Narcisse
et la Jonquille

Es-tu narcisse ou jonquille ?
Es-tu garçon, es-tu fille ?
Je suis lui et je suis elle,
Je suis narcisse et jonquille,
Je suis fleur et je suis belle
Fille.

Le Chèvrefeuille

Chèvrefeuille à midi s'endort.
Chèvrefeuille à minuit s'éveille.
Chèvrefeuille aimé des abeilles
En Messidor
Tu parfumes la nuit.
Bien malin celui
Qui peut la faire à l'oseille.

Le Camélia
et le Dahlia

Un troupeau de camélias,
Puis un troupeau de dahlias
Ont traversé notre pelouse.
Dahlias et camélias,
L'an est un et les mois sont douze,
Camélias et dahlias.

Le Jasmin

Pour hier, aujourd'hui, demain,
Faites des bouquets de jasmin,
Cueillez, cueillez à pleines mains,
Jasmin d'Espagne ou de Madère,
Jasmin de Perse ou Cavalaire,
Cueillez des bouquets de jasmin.

L'Angélique

Ravissante angélique
La mésange a chanté,
Disant dans sa musique
La douceur de l'été.
Angélique du soir,
Mésange des beaux jours,
Angélique d'espoir,
Angélique d'amour.

Le Papillon

Trois cents millions de papillons
Sont arrivés à Châtillon
Afin d'y boire du bouillon
Châtillon-sur-Loire,
Châtillon-sur-Marne,
Châtillon-sur-Seine.

Plaignez les gens de Châtillon !
Ils n'ont plus d'yeux dans leur bouillon
Mais des millions de papillons
Châtillon-sur-Seine,
Châtillon-sur-Marne,
Châtillon-sur-Loire.

Pan ! Pan ! Pan ! Qui frappe à ma porte ?
Pan ! Pan ! Pan ! C'est un jeune faon
Pan ! Pan ! Pan ! Ouvre-moi ta porte
Pan ! Pan ! Pan ! Je t'apporte un paon
Pan ! Pan ! Pan ! Ouvre-moi ta porte
Pan ! Pan ! Pan ! J'arrive de Laon
Pan ! Pan ! Pan ! Mon père est un gnou
Né on ne sait où,
Un gnou à queue blanche
Qui demain dimanche,
Te fera les cornes,
Sur les bords de l'Orne.

La Véronique

La véronique et le taureau
Parlaient ensemble au bord de l'eau.
Le taureau dit : «Tu es bien belle,»
La véronique : «Tu es beau.»
La véronique est demoiselle
Mais le taureau n'est que taureau.

La Sensitive

Toucheras-tu la sensitive,
Mulot du matin,
Marchand de pépins ?
Tu as touché la sensitive !
Le soleil s'éteint,
Ne touche plus la sensitive,
Jusqu'à demain matin
Coquin !

Joli rossignol et fleur de pommier,
Si la neige tombe au mois de Juillet,
Joli rossignol et fleur de pommier,
C'est que le soleil en Janvier brillait,
Joli rossignol et fleur de pommier.

L'Eglantine,
l'Aubépine et la Glycine

Eglantine, aubépine,
Rouge, rouge, rouge et blanc.
Glycine,
L'oiseau vole en chantant.
Eglantine, aubépine,
Bouge, bouge, bouge et vlan !
Glycine,
L'oiseau vole en chantant.
Et vlan, vlan, vlan !

Le Léopard

Si tu vas dans les bois,
Prends garde au léopard.
Il miaule à mi-voix
Et vient de nulle part.

Au soir, quand il ronronne,
Un gai rossignol chante,
Et la forêt béante
Les écoute et s'étonne,

S'étonne qu'en ses bois
Vienne le léopard
Qui ronronne à mi-voix
Et vient de nulle part.

Le Perce-Neige

Violette de la Chandeleur,
Perce, perce, perce-neige,
Annonces-tu la Chandeleur,
Le soleil et son cortège
De chansons, de fruits, de fleurs ?
Perce, perce, perce-neige
A la Chandeleur.

Le Coucou

Coucous des bois et des jardins,
J'ai le cœur joyeux, j'ai le cœur tranquille.
Coucou fleuri, coucou malin,
Je viendrai te cueillir demain.
J'ai le cœur joyeux, j'ai le cœur tranquille,
De bon matin.

Le Homard

Homard le pacha de la mer,
Homard le bleu, homard le rouge,
Homard le nageur à l'envers,
Homard, si tu remues, tu bouges.

Homard, ermite des rochers,
Homard, mauvais garçon, bon prince,
Homard, la gloire des marchés,
Homard, Monseigneur de la Pince.

La Girafe

La girafe et la girouette,
Vent du sud et vent de l'est,
Tendent leur cou vers l'alouette,
Vent du nord et vent de l'ouest.

Toutes deux vivent près du ciel,
Vent du sud et vent de l'est,
A la hauteur des hirondelles,
Vent du nord et vent de l'ouest.

Et l'hirondelle pirouette,
Vent du sud et vent de l'est,
En été sur les girouettes,
Vent du nord et vent de l'ouest.

L'hirondelle fait des paraphes,
Vent du sud et vent de l'est,
Tout l'hiver autour des girafes,
Vent du nord et vent de l'ouest.

Le Bluet

C'est la reine des hirondelles
Qui porte collier de bluets,
Bluets des champs et des javelles,
Bluets.
C'est la reine des hirondelles
Qui s'éclaire avec des chandelles
Et des bluets.

A mi-carême, en carnaval,
On met un masque de velours.

Où va le masque après le bal ?
Il vole à la tombée du jour.

Oiseau de poils, oiseau sans plumes,
Il sort, quand l'étoile s'allume,
De son repaire de décombres.
Chauve-souris, masque de l'ombre.

La Digitale

La digitale au clair matin
Dit-il, dis-tu, dis-je?
La digitale au clair matin
Dresse sur sa tige
Des grappes de fleurs cramoisies,
Dit-il, dis-tu, dis-je?
Dis-je bien ainsi?
Dis-je?

La Pervenche
et la Primevère

Doña Dolorès Primevère,
Lady Roxelane Pervenche
Un beau dimanche,
Montent en haut du belvédère.
Rêveuse pervenche,
Douce primevère,
Radieuse atmosphère.

Le Réséda

– Où résida le réséda ?
Résida-t-il au Canada ?
Dans les campagnes de Juda ?
Ou sur les flancs du Mont Ida ?
– Pour l'instant, sur la véranda
Se trouve bien le réséda.
Oui-da !

Le Lis, l'Amaryllis,
le Volubilis, la Mélisse, etc.

Monsieur de la Palice,
Dégourdi sans malice,
Cultive avec délices
Les lis, les amaryllis
Et les volubilis,
La réglisse pour Alice :
Méli, mélilot, mélisse.

Le Lézard

Lézard des rochers,
Lézard des murailles,
Lézard des semailles,
Lézard des clochers.

Tu tires la langue,
Tu clignes des yeux,
Tu remues la queue,
Tu roules, tu tangues.

Lézard bleu diamant,
Violet reine-claude
Et vert d'émeraude,
Lézard d'agrément !

Le Lilas

Mon premier lilas blanc
que Lili cueille en branche,
Mon deuxième lilas quoi que vous en pensiez,
Mon troisième lilas dont la tige se penche,
Mon dernier lilas bien qui lilas le dernier.

L'Iris

L'iris au bord du rivage
Se reflétait dans l'étang,
Bel iris sauvage
Qui rêves au beau temps.
Iris mes beaux yeux
Tu parfumes les draps blancs,
Iris merveilleux,
Iris au bord de l'étang.

La Baleine

Plaignez, plaignez la baleine
Qui nage sans perdre haleine
Et qui nourrit ses petits
De lait froid sans garantie.
La baleine fait son nid
Oui, mais, petit appétit,
Dans le fond des océans
Pour ses nourrissons géants.
Au milieu des coquillages,
Elle dort sous les sillages
Des bateaux, des paquebots
Qui naviguent sur les flots.

Le Dromadaire

Il fait beau voir Jean de Paris
Avec ses douze méharis.
Il fait beau voir Jean de Bordeaux
Avec ses quatorze chameaux.
Mais j'aime mieux Jean de Madère
Avec ses quatre dromadaires.

Bien loin d'ici, Jean de Madère
Voyage avec Robert Macaire
Et leur ami Apollinaire
Qui, de son temps, a su bien faire
Avec les quatre dromadaires.

Le Bégonia

Le bégogo, le bégonia
Va au papa,
Va au palais,
Boit du tafa, boit du tafia,
Prend le baba, prend le balai.
Aimable bégonia,
Délicieux ratafia,
Semons le bégonia.

Le Myosotis

Ayant perdu toute mémoire
Un myosotis s'ennuyait.
Voulait-il conter une histoire ?
Dès le début, il l'oubliait.
Pas de passé, pas d'avenir,
Myosotis sans souvenir.

La Capucine

Un pied par-ci, un pied par-là,
Voici venir la capucine.
Un pied par-ci, un pied par-là,
Voici fleurir la capucine.
Capucine par-ci,
Capucine par-là,
Par-ci par-là.

La Marjolaine
et la Verveine

La marjolaine et la verveine
La marjoveine et la verlaine
La verjolaine et la marveine
Chez Catherine ma marraine
On fait son lit de marjolaine
Et de verveine.

Le Pélican

Le capitaine Jonathan,
Etant âgé de dix-huit ans,
Capture un jour un pélican
Dans une île d'Extrême-Orient.

Le pélican de Jonathan,
Au matin, pond un œuf tout blanc
Et il en sort un pélican
Lui ressemblant étonnamment.

Et ce deuxième pélican
Pond, à son tour, un œuf tout blanc
D'où sort, inévitablement
Un autre qui en fait autant.

Cela peut durer pendant très longtemps
Si l'on ne fait pas d'omelette avant.

Le Brochet

Le brochet
Fait des projets.
J'irai voir, dit-il,
Le Gange et le Nil,
Le Tage et le Tibre
Et le Yang-Tsé-Kiang.
J'irai, je suis libre
D'user de mon temps.

Et la lune ?
Iras-tu voir la lune ?
Brochet voyageur,
Brochet mauvais cœur,
Brochet de fortune.

La Fleur d'Oranger

Fleur d'orage et fleur d'oranger,
J'ai peur de la nuit, j'ai peur du danger.
Fleur d'oranger et fleur d'orage,
J'ai peur de la nuit et du mariage.
Fleur d'orage et fleur d'oranger,
Fleur d'orage.

L'Edelweiss

Là-haut sur le Mont Blanc
L'edelweiss y fleurit,
J'y vois toute la terre
Et la France et Paris.
Là-haut sur le Mont Blanc
L'edelweiss y fleurit,
Il fleurit, beau mystère,
Pour la France et Paris.

La Fourmi

Une fourmi de dix-huit mètres
Avec un chapeau sur la tête,
Ça n'existe pas, ça n'existe pas.
Une fourmi traînant un char
Plein de pingouins et de canards,
Ça n'existe pas, ça n'existe pas.
Une fourmi parlant français,
Parlant latin et javanais,
Ça n'existe pas, ça n'existe pas.
Eh ! Pourquoi pas ?

Le Souci

Et pour qui sont ces six soucis ?
Ces six soucis sont pour mémoire.
Ne froncez donc pas les sourcils,
Ne faites donc pas une histoire,
Mais souriez, car vous aussi,
Vous aussi, aurez des soucis.

Le Zèbre

Le zèbre, cheval des ténèbres,
Lève le pied, ferme les yeux
Et fait résonner ses vertèbres
En hennissant d'un air joyeux.

Au clair soleil de Barbarie,
Il sort alors de l'écurie
Et va brouter dans la prairie
Les herbes de sorcellerie.

Mais la prison, sur son pelage,
A laissé l'ombre du grillage.

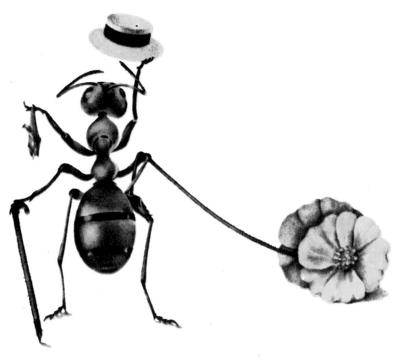

L'Escargot

Est-ce que le temps est beau ?
Se demandait l'escargot
Car, pour moi, s'il faisait beau
C'est qu'il ferait vilain temps.
J'aime qu'il tombe de l'eau,
Voilà mon tempérament.

Combien de gens, et sans coquille,
N'aiment pas que le soleil brille.
Il est caché ? Il reviendra !
L'escargot ? On le mangera.

Le Muguet

Un bouquet de muguet,
Deux bouquets de muguet,
Au guet ! Au guet !
Mes amis, il m'en souviendrait,
Chaque printemps au premier Mai.
Trois bouquets de muguet,
Gai ! Gai !
Au premier Mai,
Franc bouquet de muguet.

Le Cyclamen

Le cyclamen de Clamecy,
Qui regrette tant la Savoie,
Clame par-ci, clame par-là
De toute sa voix.
Mais il est sur la bonne voie,
Le cyclamen reverra la Savoie.

Les Hiboux

Ce sont les mères des hiboux
Qui désiraient chercher les poux
De leurs enfants, leurs petits choux,
En les tenant sur les genoux.

Leurs yeux d'or valent des bijoux
Leur bec est dur comme cailloux,
Ils sont doux comme des joujoux,
Mais aux hiboux point de genoux !

Votre histoire se passait où ?
Chez les Zoulous ? Les Andalous ?
Ou dans la cabane bambou ?
A Moscou ? Ou à Tombouctou ?
En Anjou ou dans le Poitou ?
Au Pérou ou chez les Mandchous ?

Hou ! Hou !
Pas du tout, c'était chez les fous.

Le Bouton d'Or

Un beau bateau, chargé jusqu'au sabord
De cent millions de boutons d'or,
Vient de Chine ou San-Salvador.
Le roi Nabuchodonosor
Il brait, il mange, il boit, il dort,
Il n'aura pas de boutons d'or.

Le Martin-Pêcheur

Quand Martin, Martin, Martin
Se lève de bon matin,
Le martin, martin-pêcheur
Se réveille de bonne heure.

Il va pêcher le goujon
Dans le fleuve, auprès des joncs,
Se régale d'alevins,
Boit de l'eau mais pas de vin.
Puis Martin, Martin, Martin,
Va dormir jusqu'au matin.
Je souhaite de grand cœur
Devenir martin-pêcheur.

La Jacinthe

Toutes les lampes sont éteintes.
Comment voulez-vous que je voie
Combien vous me montrez de doigts ?
Dans la nuit fleurit la jacinthe,
Il fait froid,
Les lampes sont éteintes,
Prenez la jacinthe.

Le Coquelicot

Le champ de blé met sa cocarde
Coquelicot.
Voici l'été, le temps me tarde
De voir l'arc-en-ciel refleurir.
L'orage fuit, il va mourir,
Nous irons te cueillir bientôt,
Coquelicot.

La Tulipe

Fanfan, Marceline et Philippe,
Nous étions une fine équipe,
Pipe en terre et tulipe en pot.
Tulipanpo, roi des nabots,
Nous a fait fumer la pipe,
Vive le pot de tulipe !

L'Hortensia

La belle est au bois dormant,
Hortensia bleu,
Hortensia rouge.
La belle est au bois rêvant,
Hortensia rouge,
Hortensia rouge ou bleu.
La belle est au bois aimant,
Qui l'aime le mieux ?

Kangourou premier, roi des kangourous,
Ayant accroché son grand sabre au clou
S'assoit dans un trône en feuilles de chou.
Sa femme arrivant, pleine de courroux,
Dans sa poche a mis ses fils et ses sous,
Ses gants, son mouchoir et ses roudoudous.

Kangourou dernier, roi des kangourous,
Avait les yeux verts et les cheveux roux.
Sa femme peignait son royal époux.
Kangourou le roux, roi des kangourous,
Kangourou dernier, kangourou le roux.

La Sardine

Une sardine de Royan
Nageait dans l'eau de la Gironde.
Le ciel est grand, la terre est ronde,
J'irai me baigner à Royan.
Avec la sardine,
Avec la Gironde,
Vive la marine !
Et salut au monde !

Le Genêt

Je n'ai rien dans mes poches,
Pas d'anguille sous roches,
Je n'ai, je n'ai que des fleurs de genêt,
De genêt de Bretagne,
D'Espagne ou de Cocagne,
Je n'ai, je n'ai que des fleurs de genêt,
Jeunet.

Le Seringa

A Seringapatam
Qu'on batte le tam-tam,
Qu'on sonne la trompette,
C'est aujourd'hui la fête,
Fête des seringas
Et des rutabagas.
Honneur aux seringas,
Honte aux rutabagas.

Le Lotus

Le lotus et la grenouille,
Il pleut, il pleut, il mouille,
Surveillent le caïman,
Il pleure, il pleure, il ment.
Mais le lotus élégamment
Protège la grenouille.
Il pleut, il pleut, il mouille.

L'Orchidée
et la Pensée

L'orchidée et la pensée
N'ont pas ombre de cervelle.
La pensée a peu d'idée,
Aussi l'orchidée a-t-elle
En tête peu de pensée,
Pas de pensée et peu d'or
Chidée.

Le Lama

Lama, fils de lama
Et père de lama,
Cousin de l'alpaca,
Frère de la vigogne,
Frère du guanaco,
A pour toute besogne
D'écouter les échos
Et fuir le loup-garou
Qui vit sous son climat :
Il habite au Pérou
Capitale Lima.

L'Hippocampe

Gloire ! Gloire au bel hippocampe,
Cheval marin, cheval de trempe,
Qu'aucun jockey n'a chevauché,
Qu'aucun cocher n'a harnaché.
Hip ! Hip ! Hip ! Pour l'hippocampe.

Gloire ! Gloire au bel hippocampe.
Dans une poche, sur son ventre,
Il porte et il couve ses œufs.
Là, ses petits sont bien chez eux.
Hip ! Hip ! Hip ! Pour l'hippocampe.

La Belle-de-Nuit

Quand je m'endors et quand je rêve
La belle-de-nuit se relève.
Elle entre dans la maison
En escaladant le balcon,
Un rayon de lune la suit,
Belle-de-nuit, fleur de minuit.

La Coccinelle

Dans une rose à Bagatelle
Naquit un jour la coccinelle.
Dans une rose de Provins
Elle compta jusqu'à cent-vingt.
Dans une rose à Mogador
Elle a vécu en thermidor.
Dans une rose à Jéricho
Elle évita le sirocco.
Dans une rose en Picardie
Elle a trouvé son Paradis :
Coccinelle à sept points,
Bête à bon Dieu, bête à bon-point.

Le Blaireau

Pour faire ma barbe
Je veux un blaireau,
Graine de rhubarbe,
Graine de poireau.

Par mes poils de barbe !
S'écrie le blaireau,
Graine de rhubarbe,
Graine de poireau,

Tu feras ta barbe
Avec un poireau,
Graine de rhubarbe,
T'auras pas ma peau.

Le Soleil

Soleil en terre, tournesol,
Dis-moi qu'as-tu fait de la lune ?
Elle est au ciel, moi sur le sol,
Mais nous avons même fortune
Car sur nous-mêmes nous tournons
Comme des fous au cabanon.

Le Rhododendron,
l'Œillet et le Lilas

Je me fais un édredon
Avec des rhododendrons,
Je me fais un oreiller
Avec des œillets œillés,
Et c'est avec des lilas
Que je fais mon matelas.
Je me couche alors
Et je dors.

Le Ver Luisant

Ver luisant, tu luis à minuit,
Tu t'allumes sous les étoiles
Et, quand tout dort, tu t'introduis
Dans la lune et ronge sa moelle.

La lune, nid des vers luisants,
Dans le ciel continue sa route.
Elle sème sur les enfants,
Sur tous les beaux enfants dormant,
Rêve sur rêve, goutte à goutte.

Le Mimosa

Sur la route de Saint-Tropez,
Mimosa Monsieur, mimosa Madame
Sur la route de Saint-Tropez,
De Saint-Tropez à La Ciotat,
Cueillez le mimosa,
Cueillez-le pour l'offrir aux dames.

La Tortue

Je suis tortue et je suis belle,
Il ne me manque que des ailes
Pour imiter les hirondelles,
Que ? Que ?

Mon élégant corset d'écaille
Sans boutons, sans vernis, ni mailles
Est exactement à ma taille.
Ni ? Ni ?

Je suis tortue et non bossue,
Je suis tortue et non cossue,
Je suis tortue et non déçue.
Eh ? Non ?

La Renoncule

Coco Bel-Œil,
Marchand de couleurs
Et de cerfeuil,
Ho ! Coco Bel-Œil
Dis-moi le nom de cette fleur ?
C'est la renoncule
Pour ma sœur Ursule,
Pour mon frère Hercule
C'est la renoncule.

Table